Gwlad yr Iâ

Sioned V. Hughes

caa
PRIFYSGOL ABERYSTWYTH

Cyhoeddwyd gan y Ganolfan Astudiaethau Addysg, Aberystwyth (www.caa.aber.ac.uk)

Noddwyd gan Lywodraeth Cynulliad Cymru.

Cyhoeddwyd dan nawdd Cynllun Adnoddau Addysgu a Dysgu CBAC.

ISBN: 978-1-84521-396-1

Golygwyd gan Delyth Ifan
Dyluniwyd gan Richard Huw Pritchard
Argraffwyd gan Argraffwyr Cambria

Diolch i'r canlynol am ganiatâd i atgynhyrchu delweddau:

Geraint Davies
Topfoto (tt. 5, 17, 18)

Gwnaethpwyd pob ymdrech i olrhain a chydnabod deiliaid hawlfraint. Bydd y cyhoeddwyr yn falch i wneud trefniadau addas gydag unrhyw ddeiliaid na lwyddwyd i gysylltu â nhw.

Diolch hefyd i Sasha Butler, Emma Dermody a Caroline Thonger am eu harweiniad gwerthfawr.

Cynnwys

Ble mae Gwlad yr Iâ?

Ble mae Gwlad yr Iâ? **Ewrop**

Beth ydy Gwlad yr Iâ? **Ynys**

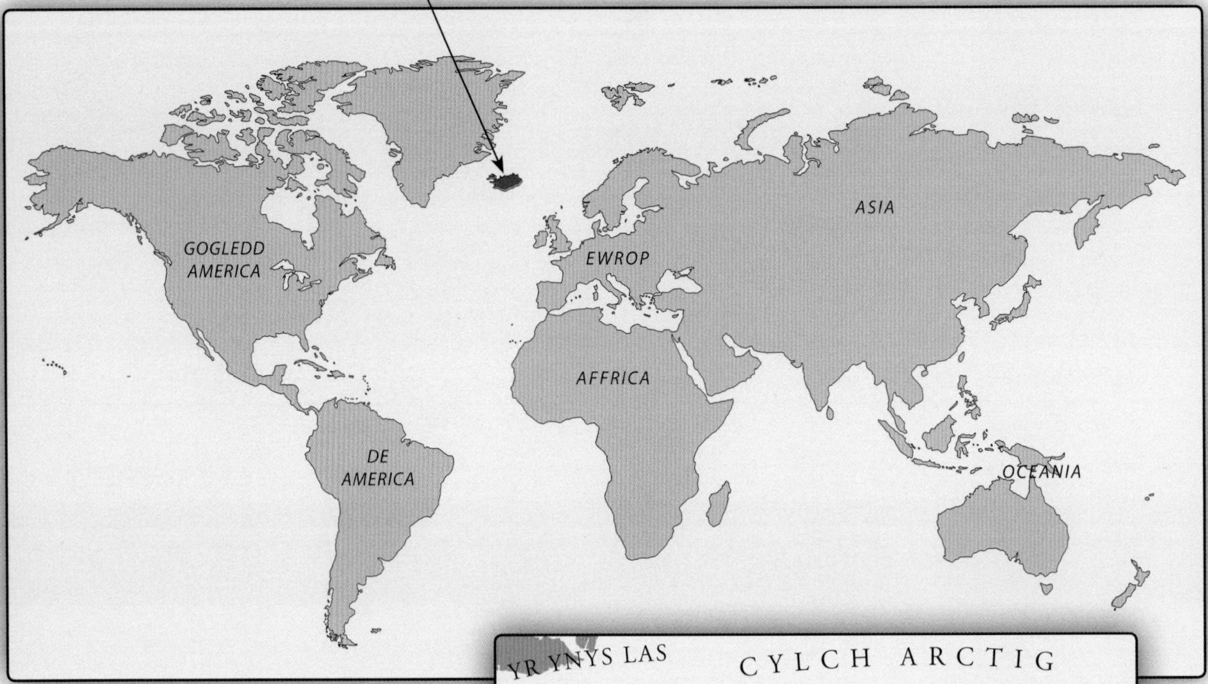

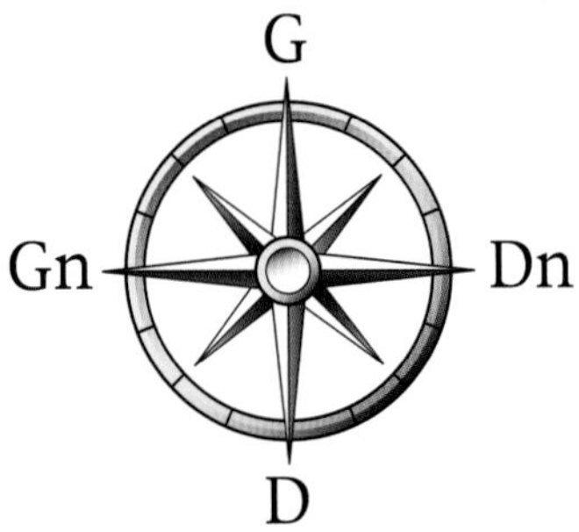

gogledd **Cylch Arctig**

dwyrain **Norwy**

de **Prydain**

gorllewin **Yr Ynys Las**

Baner Gwlad yr Iâ

Pam coch, gwyn a glas?

coch — tân

gwyn — yr iâ a'r eira

glas — y môr

Teithio i Wlad yr Iâ

Mewn awyren

Ar y fferi

Teithio yng Ngwlad yr Iâ

Mae pobl yn teithio ar y bws.

Mae pobl yn hedfan.

Mae pobl yn teithio yn y 4 x 4.

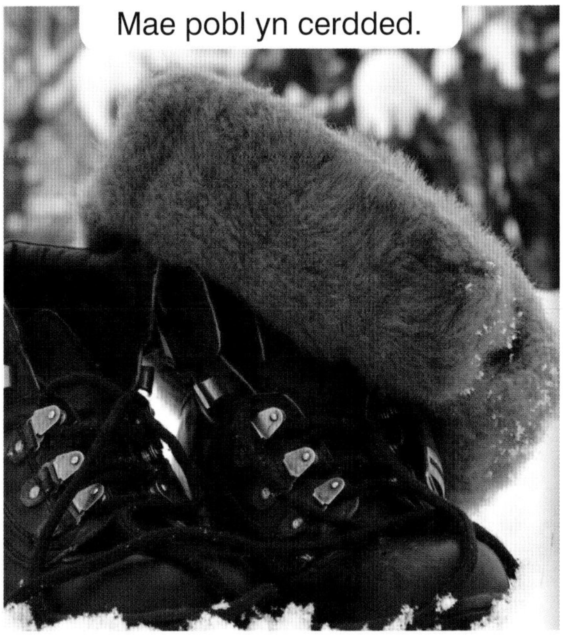

Mae pobl yn cerdded.

Mae pobl yn beicio.

Sut le ydy Gwlad yr Iâ?

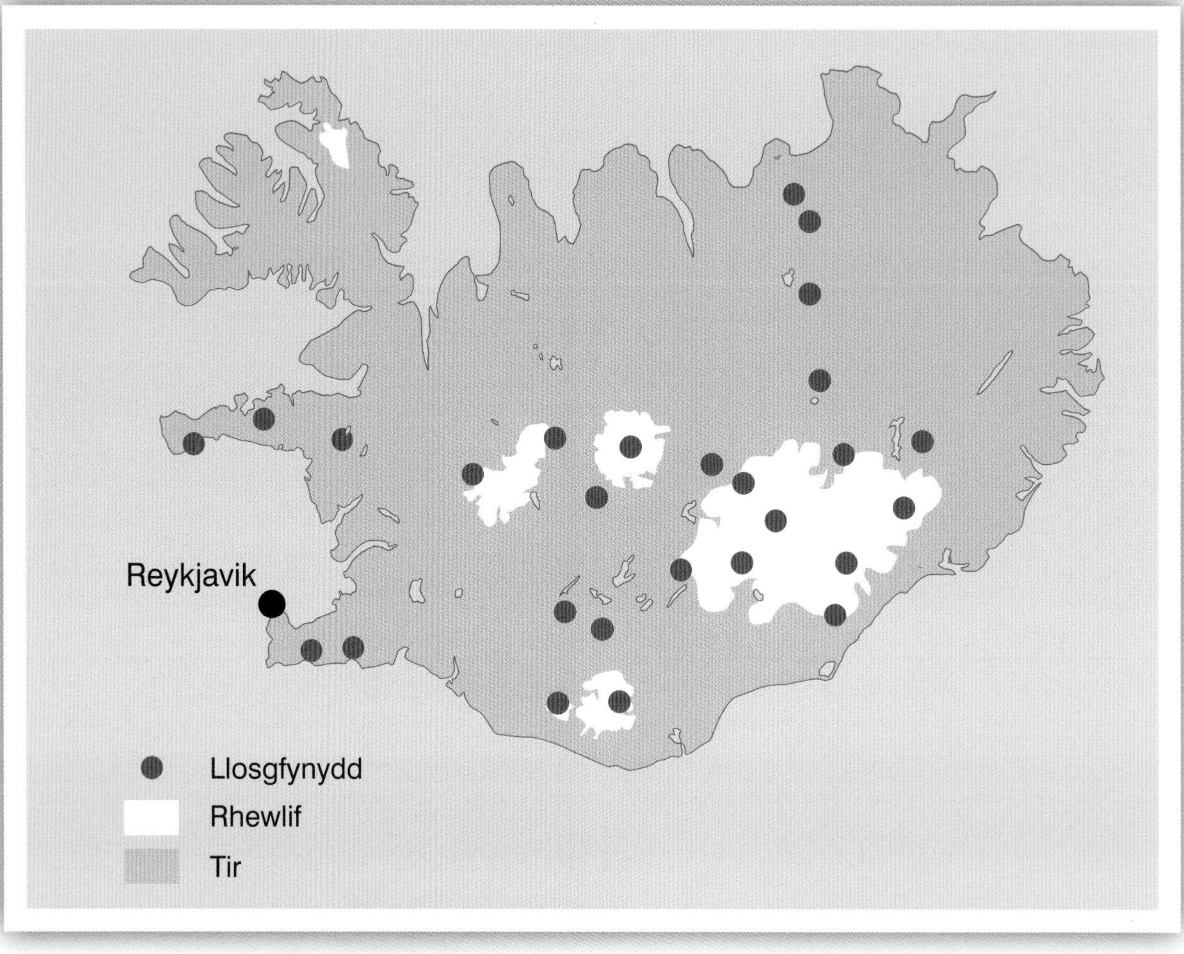

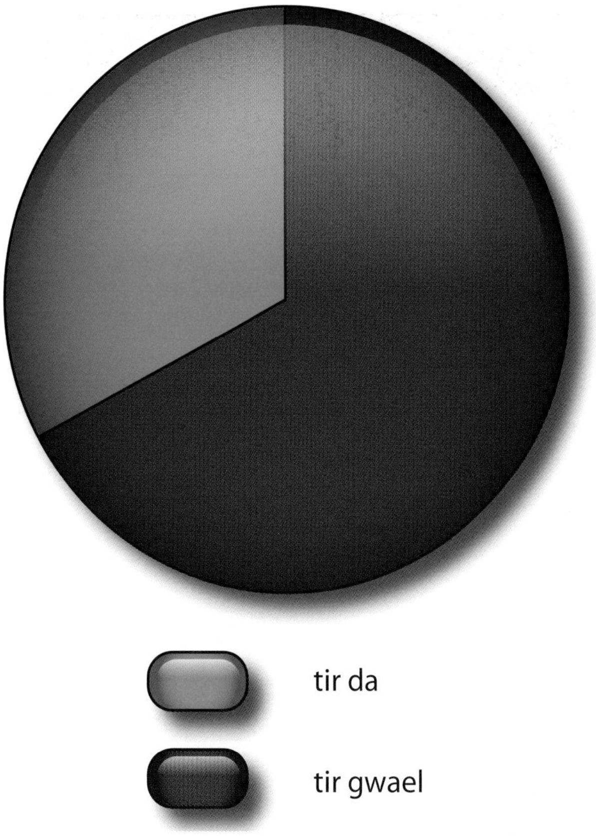

Beth sy yno?

Mae geiser yng Ngwlad yr Iâ.

Beth arall?

llosgfynydd

DŴR POETH
BOB 10 MUNUD!

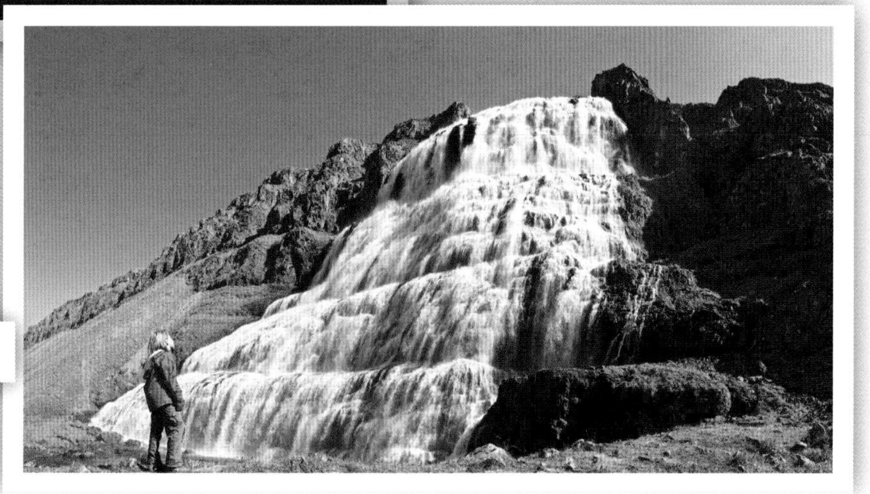

rhaeadr

ffynnon dŵr poeth

mynydd iâ

llyn

parc cenedlaethol

rhewlif

Tywydd Gwlad yr Iâ

Gwlad yr Iâ

Mae hi'n **oer iawn** ym mis Ionawr (-2°C)
Mae hi'n **eitha poeth** ym mis Awst (11°C)

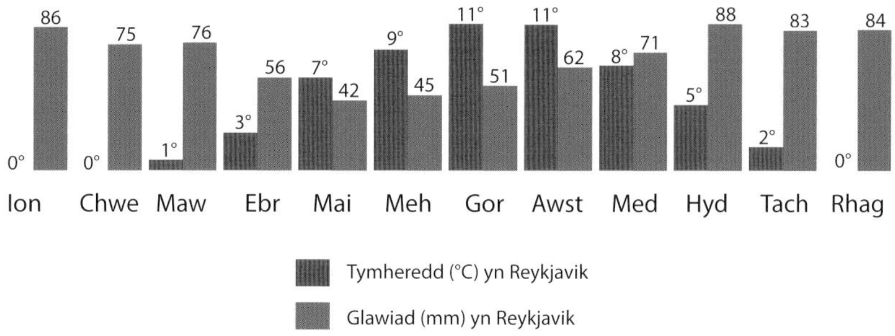

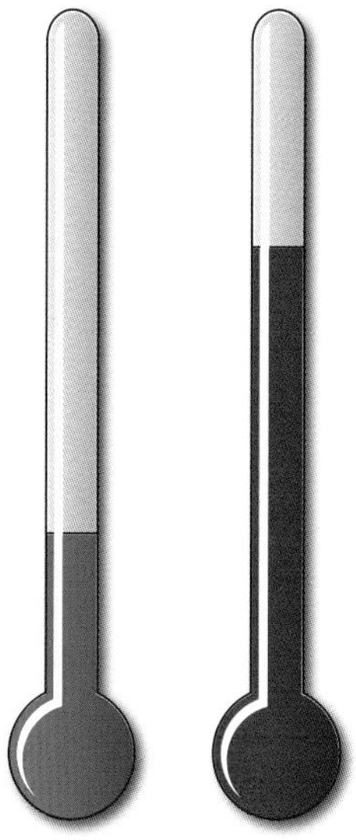

Cymru

Mae hi'n **oer** ym mis Ionawr (7°C)
Mae hi'n **boeth** ym mis Awst (18°C)

Gwlad yr Iâ yn y gaeaf

Mae hi'n dywyll iawn yn Rhagfyr ac Ionawr.

Mae hi'n dywyll am 20 awr y dydd!

Gwlad yr Iâ yn yr haf

Dydy hi ddim yn dywyll rhwng Mai a Gorffennaf.

Mae hi'n olau am 20 awr y dydd!

Anifeiliaid Gwlad yr Iâ

Dafad Gwlad yr Iâ

Lliw

gwyn, brown, llwyd a du

Bwyd

planhigion a glaswellt

Gwartheg Gwlad yr Iâ

Lliw

coch, brown a du

Bwyd

glaswellt

Ceffyl Gwlad yr Iâ

Uchder

1.3 metr

Lliw

gwyn, brown, du

Bwyd

glaswellt

Anifeiliaid gwyllt Gwlad yr Iâ

Mae'r llwynog yn byw yng Ngwlad yr Iâ. Dyma'r llwynog.

Mae'r llygoden fawr yn byw yng Ngwlad yr Iâ. Dyma'r llygoden fawr.

Mae'r carw yn byw yng Ngwlad yr Iâ. Dyma'r carw.

Mae'r arth wen yn byw yng Ngwlad yr Iâ. Dyma'r arth wen.

Mae’r anifeiliaid yma yn byw yng Ngwlad yr Iâ hefyd.

Bwyd Gwlad yr Iâ

Mae pobl yn bwyta cig.

Mae pobl yn bwyta pysgod.

Dyma'r pysgod yn sychu yn yr haul.

MAE LLAWER O BYSGOD. MAE MÔR O GWMPAS GWLAD YR IÂ!

Mae pobl yn bwyta llysiau a ffrwythau.

Mae pobl yn bwyta caws.

Gwaith yng Ngwlad yr Iâ

Mae pobl yn pysgota.

Mae pobl yn ffermio.

Mae pobl yn gweithio mewn gorsaf drydan.

Mae pobl yn gweithio yn y Lagŵn Glas.

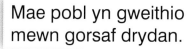

Krona ydy arian Gwlad yr Iâ.

Cartrefi Gwlad yr Iâ

fflat mewn tref fawr

tŷ sinc

tŷ haearn

DAEARGRYN! DW I'N SÂFF YN Y TŶ HAEARN.

Hamdden yng Ngwlad yr Iâ

Nofio

Mae pobl Gwlad yr Iâ yn hoffi nofio.

Mae dŵr y pwll yn boeth. Mae'n 29°C.

Pêl-droed

Enw tîm pêl-droed Gwlad yr Iâ ydy *Strákarnir okkar*.
Lliw dillad Gwlad yr Iâ ydy glas.
Mae Arnór Sveinn Aðalsteinsson yn chwarae pêl-droed i Wlad yr Iâ.

Mae pobl Gwlad yr Iâ yn hoffi athletau a sgïo hefyd.

ATLASON
SIGURDSSON

MAE'N HWYL SGÏO YN YR EIRA!

Gwyliau yng Ngwlad yr Iâ

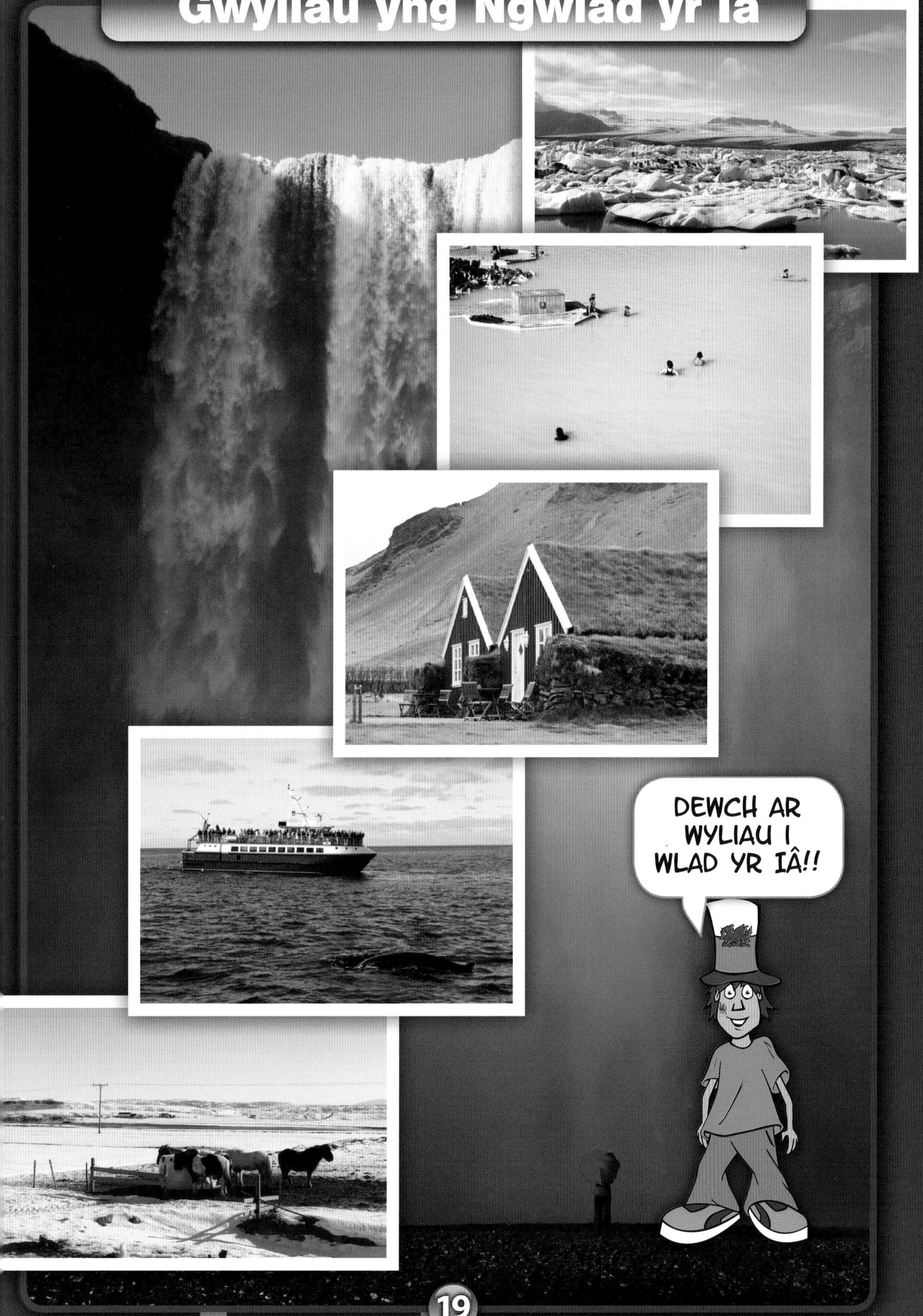
DEWCH AR WYLIAU I WLAD YR IÂ!!